Para viver sem sofrer

Direção de Arte: Luiz Gasparetto
Revisão: João Carlos de Pinho
Capa, Produção Gráfica e Fotos: Kátia Cabello

1ª edição – 6ª impressão
10.000 exemplares – dezembro 2011

Dados Internacionais de Catalogação na Publicação (CIP)
(Câmara Brasileira do Livro, SP, Brasil)

Gasparetto, Luiz
Para viver sem sofrer / Luiz Gasparetto. São Paulo : Centro de Estudos Vida & Consciência Editora.

ISBN 978-85-85872-78-6

1. Autorealização (Psicologia) 2. Corpo e mente 3. Vida espiritual I. Título.

11-01266 CDD-158.1

Índices para catálogo sistemático:
1. Autorealização: Psicologia 158.1

Este livro adota as regras do novo acordo ortográfico (2009).

Editora Vida & Consciência
Rua Agostinho Gomes, 2.312 – São Paulo – SP – Brasil
CEP 04206-001
editora@vidaeconsciencia.com.br
www.vidaeconsciencia.com.br

Gasparetto

Para viver sem sofrer

Estamos

todos no caminho

Atados

à eternidade

Sem opção

de deixar de existir

Irremediavelmente

presos ao que somos

Só nos resta
aprendermos
a *viver bem*
Para termos
o apogeu
no fim do dia
E dançarmos
os mistérios
das mil noites

Você

caminha comigo

neste livro

Como paralela

que resolve se tocar

Descobrindo

que somos

nossos próprios espelhos

Um do outro,

com jeito de

ser individual

E o que seria de mim
sem você?
Talvez
uma bela luz
sem se saber
que brilha
Ou
uma profunda escuridão
na total ignorância
Mas
quando nos tocamos
eis o contraste

Eu sou

luz escurecida

e você

escuridão iluminada

Assim

nos sabemos,

nos vemos,

e nasce

a lucidez

Eu sou

porque estás

em minha frente

E você se vê

porque eu

te reflito

Então

se ficas comigo

você se sentirá

mais real

E eu

mais eu mesmo

Não somos amigos

mas

pedaços invertidos

da mesma

grandiosidade

Expressões

da mesma verdade

Caminhos

da mesma

espiritualidade

Quanto eu lhe sinto

eu me contrasto

e sou real

Como o

espírito do dinheiro

que só o é

porque nós o fazemos

Nós pomos

o espírito do valor

naquele pedaço de papel

Assim

andemos lado a lado

Pelas páginas

deste livro

Se descobrindo

no jogo mágico

das coisas

Com ou sem drama,

sempre prontos

a trocar figurinhas

No lança-chamas
das descobertas
das humanidades
Sentir
a diferença entre
verdade e realidade
Só passando
pelo crivo
das vivências

Olhar

sem clemência

ao que a vida

nos reserva

Rapidamente

pois não temos

tempo a perder

Detesto livros longos
de letras miúdas
Este é um livro
curto de letras grandes
Para dizer só
o essencial.
Você reparou...
eu usei
o primeiro ponto final

Tudo

sempre

me parece

sem fim...

eu

sei

o que

acontece

com

você

Saber o que acontece com você é bem simples porque boa parte dos eventos e situações da sua vida está acontecendo com todo mundo.

Todos

no mundo

mesmo!

Há um fenômeno global, uma situação que é o resultado dos avanços da trajetória da humanidade, um fenômeno de ordem antropológica.

Nascemos num mundo que vem sofrendo modificações e acabamos por fazer parte delas.

Estamos nos tornando indivíduos maduros.

Carl Gustav Jung, um dos maiores estudiosos da personalidade humana do século XX, chama este processo de **individuação**.

Individualidade **é a capacidade dos seres vivos de desenvolverem funções**

a serem independentes.

Cada um de nós nasce dependente, e levamos alguns anos para sermos independentes. Amadurecem nossos equipamentos orgânicos e mentais, e com eles nossa sociedade.

Individuação parece ser um padrão universal no processo de expansão do universo.

Tudo é

individual,

ou seja, nada se repete e nada permanece o que foi.

Você foi diferente e continuará a se diferenciar evolutivamente.

Algumas pessoas pensam que individualizar-se é se separar dos contextos externos, uma espécie de isolamento egoísta, mas isto é um equívoco.

Há uma unidade sólida e real entre todas as coisas.

Diferenciar e crescer na auto-suficiência não significa se isolar.

Na Natureza as espécies se multiplicam atendendo às necessidades da adaptação e das transformações evolutivas, diferenciando-se para responder positivamente aos ecossistemas, pois não podem existir sem o seu mundo exterior.

Em nossa espécie acontece o mesmo. O nosso processo de individuação está em franco desenvolvimento atendendo às demandas das realidades externas sociais e naturais assim como transformamos estas realidades para atender às necessidades internas, uma interligação tão profunda e real que sem ela não poderíamos existir.

Quando o homem sai para o espaço em suas explorações, tem que levar consigo o seu ecossistema, como o ar e a comida. É claro que no futuro teremos meios tecnológicos de reproduzi-los com materiais de fora da Terra, mas mesmo assim não viveremos sem o meio ambiente necessário.

Você está se tornando cada vez mais diferenciadamente um indivíduo auto-suficiente.

A

cada

dia

você se torna e se tornará mais capaz de assumir responsabilidade por si mesmo usando seus próprios recursos.

Seus potenciais irão se desenvolver ainda mais e você será capaz de fazer coisas incríveis para o seu pensamento atual.

Na História vemos os esforços dos cientistas em se diferenciar das crendices antigas e fantasiosas rumo ao desenvolvimento de um processo de conhecimento mais garantido.

Pouco a pouco os assuntos foram sendo roubados das religiões e se tornando objetos de estudo dos cientistas, até que atualmente quase mais nada é assunto exclusivo das religiões.

Graças
a
Deus!

Estamos deixando de ser religiosos mas não de ser espiritualistas.

Estamos nos tornando uma nova espécie de pessoas, estamos nos tornando

espiritualistas
independentes.

Eu tenho
a certeza
de que você

já é

um
espiritualista
independente
e talvez
não saiba.

Este livro tem como um dos seus objetivos tornar as pessoas conscientes deste fenômeno.

É interessante como o estado de espiritualidade independente está ocorrendo sem que as pessoas notem. Mesmo os especialistas e os observadores atentos só esbarraram na questão.

Talvez o preconceito contra o assunto ainda seja forte...

Toda vez que me perguntam sobre a minha religião, eu tenho problemas de me fazer entender por falta de um termo apropriado.

A criação da terminologia **espiritualista independente** vem bem a calhar.

Não somos religiosos mesmo que nos interessemos por alguns aspectos das múltiplas religiões.

São muitas as causas:

A multiplicidade das religiões mostrando como as crenças são relativas.

Os meios de comunicação modernos, que nos colocam a par de um número imenso de informações fascinantes: documentários das dezenas de estações de televisão, revistas, Internet, etc.

Mas o passado tem muito a ver com isto.

Depois da Revolução Industrial o poder econômico passou das propriedades das famílias para os sistemas empresariais.

Liberta-se a mulher da responsabilidade de gerar herdeiros, de preservar a virgindade como forma de assegurar a legitimidade dos herdeiros, ou mesmo de usar o casamento como forma de garantir o poder das famílias.

O que conta na era moderna é a empresa, ou seja, um grupo de pessoas que detêm os empregos, os mercados e conseqüentemente o poder.

Você vale hoje não pelo seu sobrenome mas pela sua capacidade gerencial e produtiva.

Com o tempo, a mulher sentiu que podia se emancipar e mudar sua vida.

Com isto ela mudou o homem, a família e a sociedade.

A emancipação feminina é a mais importante

mudança antropológica desde o advento do patriarcado em detrimento do matriarcado.

A vida moderna trouxe a idéia das escolas populares, que nos desenvolveram tão espetacularmente que, hoje, uma pessoa de nível médio tem tanta ou mais formação do que os filósofos gregos famosos, mesmo que não tenhamos o brilhantismo criativo deles.

A educação, que era basicamente uma prioridade profissional das igrejas mais poderosas, logo perdeu para os científicos, e a formação passou a ser mais materialista e aberta, o que nos ajudou a limpar o inconsciente coletivo das crendices desmedidas dessas religiões.

Neste assunto as formas políticas comunistas, embora ditatoriais e contrárias à liberdade, onde o livre-arbítrio é fundamental para o desenvolvimento das individualidades, ajudam a limpar a imaginação constantemente mórbida das religiões.

O comunismo e mesmo o fascismo que dominou a política da primeira metade do século XX não puderam nem poderão continuar, pois negam a individualidade e suas necessidades de progresso.

As formas políticas que abraçaram as necessidades individuais, como a democracia americana ou mesmo inglesa, são as que dominam o mundo.

Parece que todo o Universo se organiza em torno das individualidades, já que diversifica tudo em individualidades.

Individualidade é uma constante ou uma lei universal, e todas as outras leis parecem se ajustar a ela.

você 
é
único
goste
ou
não goste

Não importa quanta força você faça para parecer normal, ou seja, igual a um modelo que a sociedade criou para você adotar na época do absolutismo igualitário.

O século XX reviu as idéias de absoluto e percebeu que tudo é relativo.

Este foi o maior e mais importante descobrimento do homem desde os egípcios com a descoberta da perspectiva e da terceira dimensão no plano.

Na ciência não há mais causa e efeito.

Um fenômeno é a inter-relação de variáveis. Estuda-se o comportamento das variáveis para se saber em que condições elas podem provocar um determinado fenômeno. Mínimas alterações já mudam o fenômeno.

Tudo
é relativo
a alguma coisa.
Tudo
se liga
a tudo.
Tudo
influencia
tudo.

O pensamento relativista tem aberto as mentes para infinitos estudos e uma nova maneira de observar a vida.

Quando aplicado à nossa maneira de ver nosso dia-a-dia, tem um poder tão positivamente transformador que há linhas de terapia que só se baseiam em exercitar relativismo.

Como ficar preso ao absolutismo dos modelos religiosos de bem e de mal, de homem de bem ou homem de mal se tudo é relativo?

Numa situação, um dado comportamento faz tudo funcionar bem, mas basta que uma simples variável se modifique e aquela resposta já não funciona mais.

Para quem gosta de regras de conduta, a vida ficou um caos.

Mas para os criativos e flexíveis a vida se tornou excitante e compensadora.

Nada

é certo,

mas

tudo

pode ser,

depende...

Tudo hoje depende de........................ algumas variáveis. Ou, como se diz:

depende da situação.

Nada é bom ou mau,

depende da situação.

Nada é justo ou injusto,

depende de cada caso.

Nada é certo ou errado,

depende das variáveis que interferem em cada situação.

Nada pode ou não pode,

depende da situação.

Nada é feio ou bonito,

depende de quem vê, ou da época.

Nada é definitivo, embora possa ser durável.

Tudo infalivelmente passa.

Esta nova forma de pensar e ver o mundo mudou-nos tanto que o nosso sistema de segurança falsamente fundamentado na constância estável das igualdades e no absolutismo das leis de conduta ou da natureza estática da criação não pode mais existir.

As cosmologias religiosas deram espaço às idéias relativistas dos físicos quânticos modernos.

Uma das mais importantes teorias da física moderna e talvez a mais popular é a teoria da relatividade.

O relativismo veio com tudo no século XX e creio que tão cedo não irá embora.

As idéias desses físicos se assemelham às dos grandes pensadores do passado, os iluminados orientais, que, longe de serem religiosos, eram na verdade pesquisadores que se utilizavam de uma tecnologia diferenciada da que usamos na nossa ciência e eram também professores de auto-ajuda.

Nas suas sistemáticas de pesquisa, desenvolviam dons especiais internos para observarem as camadas mais profundas da realidade, passando estas técnicas aos que se interessavam em aprender.

Nós tomamos um caminho diferente em nossas pesquisas: nós desenvolvemos aparelhos externos para tentar ver as camadas mais profundas da realidade. Comparar os resultados das duas correntes de conhecimento é verdadeiramente surpreendente.

Esta comparação tem abalado muito a forma como nós ocidentais vemos os orientais, causando uma mescla de conquistas.

Eles se ocidentalizam materialmente e nós nos orientalizamos filosófica e espiritualmente.

A espiritualização é um processo natural em todos os homens, independentemente das religiões.

A realidade é feita de múltiplas camadas, e o desenvolvimento de capacidades que nos levem a entrar em contato com camadas mais profundas é chamado de grau de espiritualidade.

Espiritual

é ver com o espírito.

Espírito **quer dizer essência, fonte profunda, sétimo sentido, já que em nossas experiências notamos que temos um sentido especial que mostra possuir capacidades específicas mas que nós ainda não encontramos a sua sede no corpo físico, tal como intuição, paranormalidade, bom senso, criatividade, vocação, inspiração, dons especiais, etc.**

Usar estas capacidades é estar sendo espiritualista, ou mesmo desenvolvê-las é espiritualizar-se. É comum ver pessoas agindo como espiritualistas sem nem mesmo se classificarem como tal.

Tudo

pode ser visto com profundidade

e isto é praticar a espiritualização.

Pegue o dinheiro, por exemplo, algo que nos parece bem do mundo da materialidade, e, se o virmos com olhos espiritualistas, chegaremos às idéias básicas que levaram a humanidade a criá-lo. Ele é só um representante material da idéia genial dos antigos de criarem um padrão de valor das coisas baseado numa série de variáveis quantitativas e valorativas que pudesse de forma justa regular as trocas entre as pessoas de seus bens produzidos ou seus bens de serviço, o que levou a um enorme avanço da humanidade e de suas relações sociais.

E o dinheiro é uma invenção tão genial que até hoje não criamos nada melhor.

Podemos então dizer que o dinheiro tem alma, ou espírito.

Espiritual é sempre o mais fundamental, básico, primordial das coisas.

É o que está por trás das aparências e dá vida a elas.

O problema com esta palavra é que se associou a ela a religião como forma política e opressora que nos levou quinhentos anos para nos livrarmos.

Muitas pessoas ainda acham que espiritualidade e religiosidade são sinônimos e a evitam, mesmo as mais espirituais das pessoas.

Espero que você saiba agora o que quer dizer

espiritualidade,

individualidade e

independência.

Caracterização dos espiritualistas independentes:

1- auto-orientação, criação de sua própria cosmologia e códigos de valores.

2- consciente de que a realidade tem diversas camadas.

3- entende espiritualismo como o cultivo de busca e estudo das camadas mais essenciais de todas as coisas.

4- possivelmente reencarnacionista.

5- estudioso de diferentes linhas de pensamento.

6- experimentador e responsável pelas suas próprias práticas.

7- interessado por tudo que foi considerado mistério.

8- vê e estuda a realidade em termos de energia.

9- acredita na existência de uma unidade universal.

10- acredita na ação social renovadora mas centra-se primeiro no desenvolvimento dos potenciais internos – revolução de dentro para fora.

11- interesse absoluto em conhecer-se.

práticas para viver sem sofrer

1 CENTRALIZAR
a mente não me domina

Consiste em situar-se no centro da cabeça em postura ereta e não se deixar envolver por nenhuma atividade mental, pensamentos de qualquer forma, impressões gerais, sensações físicas, desejos ou necessidades. Nada, absolutamente nada pode assumir controle sobre você. Não responda ou tente qualquer forma de atuação quando as atividades mentais ordenarem. Permaneça sem ação, mas sua atenção assistirá a tudo e não lutará para intervir. Deixe tudo ser o que parece ser.

Aceite tudo como ilusório e sem importância. Quando necessário, para sair do domínio ou tentativa de domínio de qualquer atividade, coloque sua atenção na respiração, sempre atento para não deixar qualquer atividade mental dominar.

Esta prática o levará a :

- aumentar o domínio de si mesmo e das faculdades mentais.
- aumentar o poder de clareza mental e de discernimento.
- dar paz interior.
- fortalecer a capacidade de não ser influenciado pelos distúrbios do ambiente, incluindo as atitudes negativas das pessoas exaltadas.
- arrebentar com as energias dominantes de ação vampirescas de encarnados e desencarnados.
- aumentar a confiança em si mesmo e o poder de suas decisões.

Praticar de

1 a 3 vezes por dia,

por cerca de

5 a 20 minutos.

2 DESAPEGAR

tudo é transitório

Para que a mente com seus processos ilusórios que causam o sofrimento, não o domine, deixando você livre para viver em paz, é também necessário que você se desapegue de tudo que pode fazê-lo se prender a uma maneira de ver que cause sofrimento. O desapego é apenas uma nova forma de ver as coisas sem que com isto deixemos de conviver com elas.

Exemplo disso é o desapego das pessoas. Desapegar-se delas é apenas ver as pessoas independentes de você ou começar a ver-se independente delas. Isto quer dizer que na realidade da vida estamos em caminhos diferentes, pois todos os caminhos são individuais, porém nos ajudamos na troca respeitosa dentro de nossos limites, valorizando as oportunidades de cada instante, pois sabemos que nada é para sempre. Assim não deixamos de conviver, amar ou trocar nossas qualidades, mas dentro de uma nova visão.

Desapegar-se é descrer, parar de defender, não incentivar, não dar importância a uma ilusão.

Ilusão

é o mapa errado quando queremos chegar a um determinado

objetivo.

Vem das influências culturais ou de nossa imaginação indisciplinada mediante a nossa observação superficial.

Quanto mais nossa observação se disciplina, mais o nosso poder de discernimento aumenta a clareza e a profundidade de nossa percepção.

Percebemos então novas camadas da realidade e temos mais certeza das coisas, o que faz com que venhamos a agir melhor.

mude

seu

ponto

de

vista

Tudo o que sentimos e fazemos vem de como vemos as coisas.

Mudando o ponto de vista sentimos diferente e agimos diferente.

A vida age de acordo com cada um.

Se você muda, a vida muda; se você fica, a vida fica.

Melhorar a vida só é possível melhorando o seus pontos de vista.

mapa errado: o meu sou eu.

mapa certo: o meu não sou eu. O meu é só usufruto temporário.

mapa errado: o que fui determina o que sou.

mapa certo: sou o que sinto agora.

mapa errado: tudo é o que é para sempre.

mapa certo: tudo só está sendo o que pode ser agora.

mapa errado: eu sou o que tenho.

mapa certo: eu só tenho a chance de usufruir agora.

mapa errado: tudo é para sempre.

mapa certo: nada permanece.

mapa errado: tem que ser como eu quero.

mapa certo: será como puder ser.

mapa errado: existem dificuldades e problemas.

mapa certo: existe só situação.

mapa errado: Deus faz para mim.

mapa certo: Deus faz através de mim.

mapa errado: defender-se é esconder-se.

mapa certo: defender-se é enfrentar.

mapa errado: felicidade depende de coisas externas.

mapa certo: felicidade depende de sua capacidade de lidar com seu mundo interno.

mapa errado: tudo é extremamente importante.

mapa certo: tudo é passageiramente importante.

mapa errado: agir corretamente é fundamental.

mapa certo: sentar na atitude certa é fundamental.

mapa errado: há algo errado em minha vida.

mapa certo: eu estou distorcendo alguma coisa com minhas fantasias.

mapa errado: sonho é objetivo de vida e saudável, a realidade é cruel.

mapa certo: a realidade é um referencial de onde nos colocamos, e sonhar é alienação.

mapa errado: liberdade é fazer tudo o que quer e como quer.

mapa certo: liberdade é seguir os anseios da alma com disciplina.

mapa errado: disciplina é escravismo.

mapa certo: disciplina é a inteligência a serviço da eficácia.

mapa errado: eu sou vítima do mundo.

mapa certo: eu é que causo tudo.

mapa errado: dinheiro é poder e segurança.

mapa certo: a capacidade de gerar dinheiro é poder e segurança.

mapa errado: a vida manda em meu destino.

mapa certo: a vida só me segue.

mapa errado: Deus quer que........................

mapa certo: eu tenho meu livre-arbítrio.

mapa errado: eu sou um pobre-coitado.

mapa certo: eu estou me mimando.

mapa errado: eu sou fraco para....................

mapa certo: eu me enfraqueço pensando que...

mapa errado: os outros me..........................

mapa certo: sempre sou eu que me..............

mapa errado: eu é que tenho que fazer ou é Deus que tem que fazer.

mapa certo: eu e Deus fazemos.

mapa errado: o Bem e o Mal são absolutos.

mapa certo: o Bem e o Mal são relativos.

mapa errado: existe o certo e o errado, e o errado não deveria existir, devemos combatê-lo.

mapa certo: tudo o que existe só existe porque é funcional. Melhorar é aprimorar as funções.

3 ELEVAR

ir acima de tudo e de todos

Subir no topo da cabeça e sentir-se acima de tudo o que se pensa, acima da sociedade e das pessoas, das exigências das instituições sociais, acima do sentimentalismo que o ego produz.

O ego – ou orgulho, como é conhecido nas tradições cristãs – nada mais é que a capacidade de distorcermos, e invertermos, a verdade.

Ele nos faz pessoais, vulneráveis, fracos às influências superficiais, ilude, mente, oprime, nos faz egoístas, cruéis, maliciosos, medrosos, inseguros, doentes, etc.

Ir acima dele é ser impessoal, seguro , altruísta, virtuoso, justo e satisfeito.

Sede perfeitos como o Pai que está nos céus.

Igualar-se ao que há de mais superior estimula o aparecimento de nossas virtudes e poderes inatos.

O ego prega uma falsa humildade que não passa de inferiorização. Culpa e castiga, condena e menospreza, perpetuando a submissão ao inconsciente inferior.

A elevação despersonaliza e anula os poderes do ego, possibilitando a reabilitação de nossos sistemas de vitalização e evolução.

Eleve-se

e enfrente o medo de ser diferente.

Sendo impessoal.

4 NUTRIR

eu sou perfeito

Consiste de afirmações extremamente positivas que fazem com que sua alma se emancipe.

Eu sou perfeito.

Eu faço tudo certo.

Eu sou Deus.

Eu caminho na paz.

Eu sou luz da vida.

Estas frases irão repercutir em seu inconsciente e ativar forças libertadoras que o ajudarão na conquista de sua verdade existencial, ou seja, de sua realização.

5 IRRADIAR

expandir-se no mundo externo

É necessário fazer aumentar suas emanações além do seu egoísmo e espalhar o melhor de si em suas coisas e seu ambiente.

Quando o Universo percebe que você se tornou um canal da funcionalidade positiva, ele abre as portas das bênçãos e trabalha para você de acordo com os anseios de sua alma, o que significa realização e iluminação.

Você

é

a causa

de

tudo

O que é real pode não ser verdadeiro

Aposto que esta frase te surpreendeu.

Então vamos ver se você entende a diferença.

Real é a realidade, as coisas que sentimos por nossos sete sentidos: **tato, paladar, visão, olfato, audição, sexto sentido e alma.**

A realidade é criada pelo que acreditamos.

Sempre sentida pelo jeito que a interpretamos.

Ela depende absolutamente de nós.

Eu vivo a realidade que criei e a sinto da forma que escolho interpretá-la.

Você vive a realidade que você criou e a sente da forma que você escolhe interpretá-la.

Eu vivo na minha realidade e você na sua.

Eu moro no meu São Paulo e você no seu.

Repartimos o mesmo espaço existencial na mesma ilusão de tempo.

Somos contemporâneos e paralelos, a sua realidade é sua e a minha é minha.

Ao fluxo das coisas na sua vida ou à seqüência dos eventos na sua realidade nós damos o nome de destino.

O seu destino é seu

e o meu é meu.

A realidade tem uma pele que a define como individual.

São os seus limites a definir o que você vai atrair ou o que você vai rechaçar. O que pode lhe acontecer e o que não pode.

E tudo é determinado pelas atitudes que você

incorporou como reais.

Fazemos isto usando várias capacidades naturais.

Primeiro pensamos nas coisas, analisamos, criticamos, refletimos e toda sorte de operações complicadas, mas **pensamento nada é senão e apenas uma movimentação dentro da Grande Mente.**

Você sabia que todos nós vivemos numa só Mente do mesmo jeito que vivemos numa só atmosfera?

O nosso eu consciente tem o poder de movimentar os atributos dessa atmosfera mental que é absolutamente universal.

É por isto que somos constantemente bombardeados por idéias que nos chegam sem sabermos de onde e das quais vamos colecionando aquelas que achamos importantes.

Arquivamos as preferidas numa região chamada subconsciente ou memória, e lá permanecem até que resolvamos descartá-las.

Para isto usamos uma das mais interessantes das nossas qualidades naturais,

o poder de

dar importância.

Importar-se com algo é amarrá-lo em si:

In para dentro

Porta porto, cais, portal, etc.

Importância é então trazer para dentro, amarrar no porto, ancorar.

Quanto maior a importância, mais fixamos de forma expressiva o que cremos.

Crer

também é muito interessante.

Do mar de idéias que passam por nossa cabeça, com muitas das quais nos misturamos e brincamos, acabamos sempre por escolher alguma sobre a qual decidimos usar o nosso poder de realidade, ou seja, de dizer que é real.

Em gramática psicológica, este poder está expresso no uso do verbo ser.

Isto é, isto não é.

Quando dizemos **tal coisa é,** estamos fazendo de uma idéia **a nossa realidade.**

Daí colocamos importância para colá-la em nosso subconsciente.

Isto

mesmo.

O "mesmo" dá a importância.

Se exagerarmos neste "mesmo", passamos a incorporar ou a sentir de corpo inteiro, fazendo desta idéia uma atitude.

Se colocarmos mais força de vontade, então, ficamos convictos e atamos esta atitude em nosso automático.

O subconsciente tem uma zona que só guarda o que é automatizado, como andar de bicicleta ou dirigir um automóvel.

Atitudes
são usadas como
modelos
para a mente
criar a realidade.

A Grande Mente
tem o atributo
de criar a
realidade ou
o sensorial.

Assim criamos e recriamos nossa realidade, mudando ou insistindo em manter nossas atitudes.

A realidade **depende** de nós.

Já a verdade **não depende** de nós,

ela é em si mesma e está fora do alcance do nosso arbítrio.

Exemplo da verdade é que tudo o que existe, existe.

Existir

não é

opcional

Eu existo,
você existe
e existiremos
para sempre
e isto é
sem que possamos
fazer nada.

Porém existiremos
de acordo com
nossas escolhas
criando uma
realidade própria.

Talvez você seja daqueles que ainda não perceberam que pouco podemos fazer diante das coisas.

Quando uma realidade ou situação se forma em nossa vida fruto de nossas atitudes e tem características desagradáveis, queremos mudá-la atuando externamente.

– Preciso trabalhar mais para ter mais dinheiro e poder pagar minhas dívidas...

– Tenho que mudar o meu jeito de ser para não receber mais críticas...

Estamos sempre tentando mudar nossos atos ou nos perguntando qual o comportamento aparente, externo que devemos mudar.

O que fazer? Como fazer? Referindo-se a agir no mundo externo.

Atos **não mudam e sim** atitudes

Atos são externos, superficiais e quase sempre impotentes. Já as atitudes são internas, incorporadas no subconsciente, potencializadas com os teus poderes e a causa de todas as realidades.

Mudar

é trocar de

atitude.

Muitos de nossos atos refletem nossas atitudes, e outros não.

Às vezes mostramos ser o que assumimos; outras vezes somos falsos.

Você assumiu que é menos, mas gosta de parecer aos outros que é mais.

Porém a sua realidade sempre estará repleta de situações que o inferiorizarão.

Estamos
onde
nos pomos.

Você senta em uma atitude e ela formata a sua realidade.

É lei.

A prova está facilmente perceptível:

mude
uma atitude
e confira
com os resultados
na realidade.

O fluxo dos eventos ou destino tem leis.

Pensamentos não causam nada porque ocorrem só na cabeça.

Afirmações nada podem porque são da boca para fora.

Mas quando um pensamento afirmado é incorporado como verdade absoluta, aí ele tem poder.

Uma outra lei ajuda a entendermos como as coisas funcionam:

a lei **da integridade**

Integridade é a capacidade de manter a coesão mesmo diante das transformações.

Tudo no Universo muda sem deixar de ser individual.

A evolução nos mostra ser um processo impermanente. Tudo é impermanente .

Porém as transformações seguem propósitos adaptativos e funcionais.

O Universo muda mas mantém sua coesão e propósitos. Ele se preserva contra o caos e sua desintegração. Mesmo o que os homens chamam de caos é apenas uma constante complexa demais para que ele ainda possa entender.

A constante **da mutação é a** integridade.

Em nossa vida é simples.

Quando agimos na ignorância, a integridade nos defende das conseqüências. Mas se negarmos fazer o que já soubermos ser o nosso melhor, ela nos deixa experimentar as conseqüências deste ato.

Quando somos crianças os pais assumem as conseqüências dos nossos atos porque somos ignorantes, mas logo que crescemos eles nada podem fazer, e teremos de responder diante da lei.

O Universo
protege
nossa ignorância
e exige
nosso melhor.

O melhor
de cada um
é de acordo com
suas experiências.

O sistema de integridade só computa o que você viveu, ou seja, experimentou como o melhor.

Ele ignora o que você pensa que é o melhor.

Não existem valores morais de bem e de mal, mas sim o que você fez e foi ou não funcional.

O melhor é sempre relativo à sua natureza individual, seu temperamento, seu grau de evolução, suas vivências pessoais.

Ele muda constantemente com suas novas vivências.

O que era adequado ontem não será amanhã.

Se o seu melhor é a violência, repare que em muitos casos os violentos levam a melhor, mas se o seu melhor não é mais a violência, então você leva a pior, ou seja, experimenta violência de volta.

Tudo
é relativo
a cada um
em dado momento.

E os violentados?

Estes só são atingidos quando estão no seu pior, se negando.

Poderíamos dizer que o Universo usa a ignorância de uns para servir de lição a outros.

Se muitos estão no seu pior e não existem violentos suficientes para a demanda, então entram os vírus, as catástrofes ambientais, o fortalecimento de líderes fanáticos, etc.

O que se chama de mal é nossa omissão no nosso bem ou nosso melhor.

Doenças e eventos desafortunados são sempre a causa de sairmos do nosso melhor.

Às vezes, melhorar é piorar...

Veja bem se qualquer melhora que você ache que precisa fazer não está negando suas experiências passadas de sucesso. Principalmente se elas forem sugeridas pelos outros.

As medidas
dos outros
não são as nossas.

Os valores
dos outros
talvez não sirvam
para nós.

O mundo está cheio de falsos valores.

Fique com o que funciona para você

Não dê ouvidos a ninguém. Valorize suas experiências. Arrisque, experimente, certifique-se e vá por si.

Fortaleça o que você sentiu com suas vivências, com seu auto-apoio. Não queira viver com o apoio de ninguém.

Não há punição, apenas exigência do seu melhor, do seu possível.

Seja apenas o que pode ser e vá se desenvolvendo. Assim tudo corre bem.

O seu melhor lhe protege.

Assuma atitudes prósperas. A sua melhora sempre melhora o mundo.

Ninguém melhora sem influenciar o mundo positivamente, mesmo que alguns percam. Os perdedores são sempre aqueles que se sentam nas atitudes derrotistas. São eles os responsáveis, não nós.

Prosperidade é sempre funcional.

A integridade protege a funcionalidade.

Na evolução, a seleção das espécies fica para aquelas que melhor se adaptam e são mais funcionais nas leis dos ecossistemas.

O que não é funcional é abolido.

Se o que você fez deu bons resultados, então a natureza lhe aprova. Mas se não é o mais funcional que você poderia fazer, ela o deixa sem proteção para que você volte ao seu melhor.

Ela apenas zela pela sua evolução e pela sua participação positiva para o ambiente.

Na Natureza
não há
bem ou mal
e o
certo ou errado
é sempre o
funcional.

Ficar com raiva pode ser certo ou errado, depende de seus resultados.

Por ódio eu posso resolver agir e vencer obstáculos. Aí ele é funcional. Em outra situação eu resolvo violentar uma certa disciplina e tudo dá na pior, mas só e só mesmo quando este violentar não é o meu melhor, caso contrário tudo correrá bem.

Se você erra e aprendeu a ter compaixão de seus erros, então você melhorou, pois é mais funcional que se condenar e ter vergonha de seu erro. A autocondenação não nos ajuda a aprender o certo. Ela nos castiga e inibe nossas ações. A compaixão pula etapas e nos incentiva a aprender o certo.

Se em dada situação você se condenar ou se deixar atingir pela condenação dos outros, não terá proteção, e o resultado será desastroso. Situações altamente agressivas irão lhe suceder até que volte para o seu melhor.

A maior **lei do Universo** é a **lei da individualidade**.

Todas as outras leis que tangem os homens giram em torno dela.

Logo, toda lei é individual ou o Universo fez com que fôssemos nossas próprias leis e nossos próprios juízes e nossos próprios carrascos e nossos próprios salvadores ou libertadores.

Numa linguagem mais tradicional **somos**, de alguma forma, **Deus**, como diz o evangelho cristão. Vendo Deus como a causa e a fonte que mantém tudo, somos de alguma forma causa e manutenção, criação e lei.

O arbítrio escolhe e põe em ação o destino.

Ninguém consegue saber onde se começa e onde se acaba. Minha mente não tem fim. Nosso inconsciente é coletivo. Somos parte integrante do ambiente e de tudo.

Assim,
onde começa
Deus
e acaba
você?

Ou onde

você

acaba

e começa

Deus?

Não há resposta possível para isto.

Somos um.

Podemos nos ver unidos e nos ver separados ao mesmo tempo.

Somos um com o Universo.

O grande está no pequeno, e o pequeno está no grande.

Tamanho pode ser apenas uma questão de ponto de vista.

Tudo que o grande possui está no pequeno.

Quando eu sou o Universo, o Universo sou eu.

Assim, não há eu ou Universo, existimos apenas.

somos

o

tudo

Você já experimentou estar nesta atitude?

Unidos

somos

outra coisa

e neste estado

tudo

trabalha

para nós.

Quando você disser que vai fazer tal coisa, use o plural universal – faremos – e sinta-se como sendo o Todo. Depois é só manter a atitude e observar o que acontece.

Agora que falamos tudo isto, eu posso voltar à verdade e à realidade.

Falsos caminhos

Os falsos caminhos são resultados pavorosos do descuido em usar nossa capacidade de imaginação.

Imaginar é sem dúvida uma das qualidades mais distintas dos seres humanos.

Pensar ou falar é usar símbolos para substituir nossas experiências, pois cada símbolo representa uma experiência e assim pensamos ou mantemos a comunicação entre nós.

Todas as qualidades que existem em nós têm uma função importante, caso contrário a natureza já as teria eliminado. Quando usada em sua nobre razão de existir, ela é fundamentalmente útil, mas quando desvirtuada é sempre a causa de nossas mais caras dores.

Sofrer é sempre resultado do mau uso de nossas propriedades naturais.

Assim, imaginar com base na realidade é sempre útil. Mas só quando estamos ligados à realidade.

Você está ligado à realidade agora?

É uma pergunta difícil de responder...

Vamos ver se eu o ajudo.

Como eu já disse anteriormente:

Realidade **é o sensório, o que é experimentado pelos nossos sentidos a cada instante. Eles são sete: visão, olfato, tato, paladar, audição, sexto sentido e sétimo sentido ou alma.**

Tudo o que sentimos chamamos de **sensações**, que na realidade são as reações que nosso sistema produz aos estímulos constantes da vida a todo instante.

Os estímulos são de dois tipos: os externos ao organismo e os internos, tais como pensamentos e outras atividades cognitivas.

Cognição é o nome dado às atividades resultantes das capacidades mentais, tais como memória, raciocínio lógico, etc.

A cada segundo sentimos milhares de sensações mas só uma pequena parte se torna percepção, ou seja, é percebida pela nossa atenção.

A atenção é a lucidez, e ela é mais clara ou de melhor qualidade quando prestamos atenção cuidadosamente ao que estamos sentindo, e ela tende a ser imprecisa quando nossa atenção é falha.

O verbo sentir não se refere simplesmente a perceber os sentimentos mas a perceber qualquer tipo de sensação, das quais os sentimentos são apenas um dos tipos. Temos as sensações cinestésicas, como calor, dor, pressão, coceira; temos as emoções, temos as intuições, e assim por diante.

A imaginação é positiva quando prestamos atenção às coisas e articulamos nossas cognições com base firme nesta realidade.

Se você quer me relatar um fato, o relato será o mais fiel à realidade se você prestou bem atenção ao que aconteceu. Ele será péssimo quanto mais formos desatentos e metermos no meio da história nossas fantasias.

Memorizar e relatar são atividades da imaginação, porque não são mais a realidade em si mas uma representação, uma foto na memória, do que aconteceu e de como você viu o que aconteceu.

Realidade é só o que captamos de nossas

sensações no aqui e agora. E seremos fiéis a ela se disciplinarmos nossa atenção e não a rechearmos com nossas fantasias imaginativas.

Ser realista é uma qualidade que requer treino, como o cientista faz para não cometer erros de observação e não chegar a conclusões erradas. Para isto há toda uma metodologia científica que deve treinar o cientista.

Mas na vida prática não é diferente: um realista é sempre aquele que tem cuidado especial, fruto de um treinamento, em observar as coisas.

Se você não possui este treino cuidadoso, provavelmente apresentará uma fragilidade de contatar com a realidade. Ela sempre está incompleta, imprecisa, distorcida e irreal, e o nome desta irregularidade é ilusão.

Ilusão, este grande monstro, é o produto do uso irregular e indisciplinado de nossa atenção ao observar a realidade.

Imaginar sem base na realidade é fazer ilusões. O pior é que usamos essas ilusões como mapas da felicidade e acabamos nas desilusões.

Desilusão é a visita da realidade destruindo as ilusões.

Todas as nossas atividades mentais, sejam ilusórias ou realistas, nos causam sensações.

Na verdade, a maioria de nossas sensações é causada pelo que pensamos e como escolhemos ver a vida.

Assim, quando queremos mudar uma sensação desagradável, basta mudar o ponto de vista. Porém gostamos de nossos pontos de vista e raramente usamos esta capacidade tão libertadora.

Na verdade nos apaixonamos por idéias, nos apegamos a elas, nos seguramos teimosamente na esperança de nos sentirmos seguros. Quando elas são realistas o resultado é sempre proveitoso, mas se forem ilusórias o resultado é catastrófico.

As ilusões nos deixam entorpecidos, e quando a realidade aparece de forma forte e definitiva ela cria um choque com as ilusões, de terrível dissabor, mas que nos despertam de nosso transe hipnótico e ilusório. Aí é o caos!

Se nesta hora insistirmos em preservar a ilusão, então teremos dores e sofrimento, porque a realidade é mais forte e resistirá a qualquer fuga. Porém se cedermos à realidade dos fatos, as dores desaparecerão.

Só sofre quem não quer ser realista.

As ilusões é que causam as dores e não a realidade, como reclamam os sonhadores.

Uma mãe sofre a morte de um filho enquanto mantém a ilusão de que aquele filho é dela, um pedaço dela e que ficaria com ela para sempre, mas no dia em que resolve aceitar a realidade de que cada um é de si mesmo e faz sua viagem na vida de forma independente, então a dor passa e ela consegue seguir em frente.

O que causa a dor é a ilusão e não a realidade.

Mágoas e ressentimentos são desilusões que ainda nos assombram porque recusamos a realidade dos fatos e mantemos as ilusões.

Ninguém é responsável pelas suas mágoas, a não ser você mesmo.

A realidade jamais se moldará às suas ilusões. Você é que terá, mais cedo ou mais tarde, que ceder.

Perdão
é ceder
à realidade
e abandonar
nossas ilusões.

Há três caminhos falsos que com certeza nos levam à infelicidade. São como três fantasmas que teremos que exorcizar antes que a felicidade possa definitivamente morar conosco.

São eles:

os sonhos

de felicidade,

a arrogância

e a

vaidade.

Então vamos começar a melhorar estudando esses hábitos mórbidos.

Sonhos de felicidade

Criamos imaginativamente ou supomos ao observar a vida dos outros, sem a menor base na realidade, que determinadas situações são fundamentais para conseguirmos ser felizes.

Acreditamos nos sonhos e modelos que as pessoas em volta de nós nos passam.

Ingênuos e sonhadores, acabamos por acreditar que nossa felicidade está em conseguir certo tipo de situação na vida.

E para isto estamos dispostos a investir tudo.

É o sonho de amor perfeito, de carreira milionária, de possuir filhos fabulosos, de ter uma família normal, de conseguir dinheiro para não ter que trabalhar, de sermos os bacanões, paparicados e mimados por uma legião de serviçais, de vivermos de sombra e água fresca. Estamos cheios de idéias paradisíacas da felicidade. Infelizmente investimos seriamente nestas idéias e colecionamos desilusões. Logo podemos perder a crença na vida e nos deixar morrer de infelicidade. Morremos mais de desilusão do que gostamos de acreditar.

Quando a realidade se mostra muito evidente e não queremos reconhecer que nossos sonhos são mapas errados da felicidade, a desilusão causa tremenda dor que para diminuí-la ativamos nossos elementos anestésicos, como o desânimo, o que acaba por levar nosso sistema imunológico a se enfraquecer, pois ele vive com o ânimo de viver, o que resulta em doença e desencarne.

Desistimos de viver mas não desistimos de nossos sonhos.

Ter uma meta na vida

é diferente.

A meta é um objetivo que poderemos alcançar caminhando estrategicamente com os pés na realidade. Aceitar a realidade e aprender a lidar com ela é garantir que poderemos chegar longe. Isto não é sonhar, pois mantemos contato constante com a realidade.

Mas se nos apegamos a estes sonhos como viciados indiferentes à realidade, achando que sem eles perderíamos todas as motivações de vida, estamos caminhando pelo mapa das desgraças.

Ao desprezarmos a realidade nos tornamos incapazes, impotentes, frágeis, inseguros e frustrados.

A realidade é maravilhosa. Quando somos capazes de lidar com ela obtemos as realizações.

Realização é o estado de satisfação da alma, portanto é profundo e duradouro. É a base da verdadeira felicidade.

Ninguém se realiza se não for na realidade.

A mulher sonha com o amor. Idealiza um companheiro, cria situações imaginárias que fantasia que a farão feliz. Geralmente esse príncipe encantado é a pessoa escolhida que fará para ela tudo o que ela não faz para si mesma. Mimada, se entorpece com estes sonhos que vai crendo como se fosse possível de serem reais. Chega a ver na vida dos outros o que ela supõe que seja para ela. Faz deste sonho seu objetivo de vida.

Entorpecida e drogada, investe tudo o que tem neste sonho. Se ser bela é um pré-requisito então chegará a se mutilar para atingir tal aparência. Se ela acredita que tem que ser virtuosa e que sua reputação impecável é fundamental, então ela se esmera em ser um exemplo de virtude – aparente, é claro – e recalca todo o seu jeito de ser verdadeiro, fazendo-se prisioneira de seu sonho e mutilando sua saúde e sua liberdade de ser.

Um dia escolhe alguém com quem acredita que terá chances de chegar ao que sonha e se casa. Sempre cega de ilusão.

É claro que esta vida de sonhos não a capacitou a viver bem com alguém e que este excesso de expectativas vai reduzi-la a uma desgraçada que vive num mar de tragédias afetivas.

Culpando sempre os parceiros ou a vida ou os pais, jamais admite que são suas ilusões a causa de tudo.

Cria, pois, o medo de amar e de se dar. Desenvolve o câncer nos seios por se negar, fibromas por trair seu temperamento original para ser a modelar, e diz que quer viver sozinha, pois aposentou as chuteiras. Sofreu e sofre com a realidade, mas nada aprendeu. Vive só, mas guarda em si o seu sonho de amor. Nos filmes de final feliz chora como uma desgraçada.

Teme a realidade como se ela fosse cruel, e não percebe que cruéis são seus sonhos de Cinderela.

Viver com sucesso com alguém é saber apreciar a realidade de cada momento tirando proveito deles.

Gostar é um exercício de apreciação.

Mas o monstro do sonho de amor sempre põe tudo a perder, pois quer o irreal, o absurdo, e chama a realidade de cruel.

A realidade é que todos têm o que dar e algo para nos oferecer, mas a

maioria de nossas carências deve ser preenchida por nós mesmos.

Temos que crescer e nos tornarmos independentes afetivamente para sermos um bom companheiro capaz de atrair alguém significativo em nossas vidas.

Quando não temos ilusões de amor aprendemos que conviver com os outros é estar incessantemente confrontando nossos limites e nos desenvolvendo em nossas qualidades.

Mas a sonhadora é preguiçosa e quer tudo pronto e fácil. Diz que não tem afinidade com ele e que é infeliz porque não teve sorte na vida.

A verdade é que os homens são basicamente iguais. Mesmo que a educação masculina coloque maior ênfase na vida profissional, eles são sonhadores do mesmo jeito, sempre à espera de uma Amélia que faça tudo e muito mais que sua mãe fez por ele. O resultado é o mesmo, embora pareça que os resultados tenham menos efeitos na vida deles, o que não acontece se o caso for com sua vida profissional.

O sonho de uma carreira milionária sem os pés no chão é muito freqüente, e as desilusões são igualmente catastróficas. Ele também diz que não tem sorte na vida.

Sonhador, ignora suas verdadeiras capacidades e vocações, enfiando-se em situações corruptas e desonestas com seu temperamento atrás de sonho de riqueza fácil e se vê tragicamente fracassado.

Tentar empurrar as coisas, as pessoas e a nós mesmos para serem como fantasiamos que é o melhor para nossa felicidade, além de trabalhoso e disfuncional é egoísta e sempre desastroso.

Adeus às ilusões

Um imenso cavalo de força
No apocalipse de minha mente
Chegou de repente
Como quem nada queria
Com sua língua fria
Me encheu de fantasias
E me levou como pai pela mão
A um parque de diversão
Rodopiar na roda dos sonhos
Depois, como quem nada sentia
Me trancou numa abadia
Como pedaço de oração
Não havia nada que ele não podia
Me ensinou a gostar da pedra
Com cara de deus enfurecido
Me disse para ser escondido
Porque havia superiores
E me deixou nos corredores
Como lanterna apagada
Com o vento da geada
Na culpa da obediência

Ele não teve clemência

Me seduziu sem reverência

As correntes da grande família

Onde a gente se humilha

Só por estar por perto

Depois vagamos pelo deserto

Das coisas tecnocratas

Como cão vira-lata

Comendo a sujeira do chão

Viciou-me na ilusão

Como se fosse de minha alma o pão

E fiquei perdido na janela do infinito

Gritando como cabrito

No desespero de minha solidão

E ele ali, apertado em minha mão

Como selo de correio

Como cela de cavalo

Como mazela da vida

Indo para baixo como subida

Indo embora como se fosse para dentro

Sem ser dono dos meus pensamentos

No lombo de um jumento

Amargar-me de refletir

E ele lá sem impedir

Como quem gostasse de confundir

Com perguntas científicas

Me levava para a mística

Das cidades esquecidas

Buscando a falsa subida

Da estrada que leva pro nada

Um dia me fartei de sua anarquia

Abri a porta da insensatez

Esquecendo a hierarquia

Com um pontapé de lucidez

Mandei-o para o xadrez

Do jogo do sem-fim

E comecei a gostar de mim

Amante, amigo e irmão

Peguei minhas próprias convicções

E disse adeus às ilusões....

a

felicidade

é uma

arte

Ela não depende das pessoas e das coisas em volta de nós.

Ela é uma capacidade.

Somos ou não somos capazes de ser felizes.

Então ser feliz é o produto de um bom gerenciamento interior.

Não sonhe com a felicidade.

Faça dela um exercício que consiste na arte de ser feliz.

Desfaça-se dos sonhos que tem e concentre-se no como ser feliz agora.

Liberte-se das expectativas, pois são elas a única causa de sua ansiedade.

Ansiedade dói. Pare com ela.

Não espere nada, fique no aqui e agora e perceba como você pode ser feliz com o que já tem.

No caminho de tentar você vai encontrar obstáculos: hábitos e idéias que você vem cultivando, alimentando como se fossem bons mas que se olhar com cuidado verá que eles não estão dando o resultado esperado; ao contrário, estão a causar infelicidade.

Melhorar requer reavaliar as escolhas que fizemos, reparando em suas conseqüências.

Se o resultado é funcional então estes valores e pontos de vista são bons, mas se o resultado é encrenca então não importa a origem da idéia ou onde você aprendeu este ponto de vista, ele é inadequado à sua felicidade.

A maioria das pessoas se apega às suas idéias. Embora elas lhes causem dissabores, insistem em continuar com elas, fascinadas por suas paixões.

Desapego é sempre de idéias e pontos de vista e nunca das coisas da vida.

Seja flexível o quanto necessitar para atingir a sua felicidade.

Basta apenas se propor a ser flexível e a sua força interior começará a lhe mostrar o que está lhe atrapalhando.

Confie na sua força interior. Ela é sábia e quer lhe ajudar.

Esta sabedoria natural é que comanda os seus corpos e regula a sua vida dentro da evolução. Mantém um diálogo constante com cada parte do corpo, sempre tendo em vista a manuntenção da integridade do sistema.

Apesar de sua ação ser inconsciente, ela mantém um diálogo com a consciência, visto que algumas funções importantes do sistema somos nós na consciência que mantemos. O arbítrio tem o comando de algumas habilidades que são solicitadas quando necessárias para manter o melhor para o sistema. Nestas situações a inteligência natural manda informações em forma de sensações para a mente consciente. A mente as transforma em idéias, de modo que você comanda o arbítrio e possa entender e fazer o que é preciso. Assim é a fome, um sinal da inteligência natural para que a consciência que comanda a ingestão de alimento faça algo a respeito.

Quando você quer saber que tipo de idéias inadequadas ao seu bem-estar você tem mantido com seu arbítrio, a inteligência natural começará a mandar sinais. Estes sinais são constituídos de duas partes: **sensações e idéias.** Primeiro sentimos algo desconfortável, depois este desconforto aparece como uma idéia ou força que nós reconhecemos. **Elas não estão divididas, são na verdade uma única coisa. Idéia é sensação.**

O importante é saber que esta idéia que causa tal sensação é inadequada e deve ser desativada de seu valor, ou seja, desacreditada, para que saia de seu subconsciente, onde ela fica alojada.

Só o arbítrio consciente é que tem o poder de validar ou de tirar o valor das idéias, porque o inconsciente nada pode fazer.

Para ajudá-lo, aqui vai mais sobre estas idéias inadequadas à sua felicidade.

Imaginamos e acreditamos no que imaginamos longe de nossas reais e atuais condições, fazemos delas nossos ideais, investimos tudo o que temos em esperanças como se fossem as únicas coisas que poderiam nos fazer felizes, esperamos pelos resultados ansiosamente, nos flagelamos para tentar chegar lá, e finalmente, quando a fatal desilusão vence, nos negamos a renegociar com a vida, desistimos e morremos de dor.

Este parece ser o ciclo fatal da dor humana há séculos.

Os espertos fazem fortunas vendendo a droga das ilusões. Dopados, somos fáceis de ser usados e desprezados. Somos uma humanidade viciada, mas você pode vencer o seu vício.

Jogue fora os seus sonhos e viva o que a realidade lhe oferece.

Aprendendo com ela você saberá como modificá-la para torná-la mais prazerosa.

Não há outro caminho para se realizar na vida senão o da realidade.

Afinal
você quer
resultados reais,
não é?

Arrogância

A... rogar quer dizer não pedir, ou seja, aquele que não pede mas manda.

Tecnicamente, arrogância é a ilusória tentativa de querer que a realidade seja como idealizamos.

Idealizamos.

Inventamos o que é o perfeito.

Inventamos o que é o certo.

Inventamos o que é o normal.

Inventamos o que é o adequado.

Inventamos o que é o bem.

Inventamos o que é o bonito.

Inventamos o que é a verdade.

Inventamos o que é educado.

Inventamos o que é aceitável.

Inventamos o que é o melhor.

Inventamos, eu disse **inventamos, e a realidade não tem nada com isto.**

A realidade é o melhor que pode ser no momento.

Você e os outros **são só** o que podem ser.

O arrogante é encrenqueiro. Ele não aceita o que é. Ele acha ou imagina que tudo deveria ser como ele idealizou. O teimoso insiste na burrice de fantasiar que o seu idealismo é o certo e que tudo conseqüentemente está errado.

Ele é errado, os outros são errados, a vida é errada, Deus é errado, tudo é um grande e fatal defeito da natureza e ele, o senhor das razões, é que sabe o que é o certo e como tudo **DEVERIA** ser.

O arrogante não aceita a realidade como a única possível. Ele resolve brigar com ela declarando guerra, chegando a matar e ferir em nome do que é certo.

É claro que podemos melhorar as coisas com trabalho e dedicação adequada, mas o arrogante acha que **JÁ DEVERIA SER**.

O tal do **"JÁ DEVERIA SER"** é que é todo o problema.

Com o pé na realidade, tudo pode ser transformado para melhor, mas o arrogante não quer se dar ao trabalho e agride a realidade.

Toda violência é arrogância.

Toda implicância é arrogância.

Toda queixa raivosa é arrogância.

Toda difamação é arrogância.

Toda crítica é arrogância.

Toda condenação é arrogância.

Todo castigo é arrogância.

Toda punição é arrogância.

Toda culpa é arrogância

Toda recriminação é arrogância.

Toda depressão vem da arrogância.

Todos os complexos vêm da arrogância.

O arrogante está sempre às voltas com o tal do deveria..... tudo deveria..... os outros deveriam..... o governo deveria..... Deus deveria..... a Vida deveria..... e finalmente o pior: ele deveria.

Por isto tudo está errado.

Ele ignora por que as coisas são o que são. Ele é ignorante de tudo. Não sabendo dos fatores que criam determinada situação, ele sempre se vê impotente para mudar as coisas. São sempre intransigentes, duros, radicais, impotentes, inábeis, nada aprendem, e o resultado é a frustração da sua incompetência.

Na conta do arrogante ele sempre perde. Ele sempre deve a ele.

Ele faz uma conta imbecil: primeiro ele imagina, idealiza ou usa a idealização que sua sociedade, religião, família, pais fazem, e acredita que não só é o certo mas que tudo deveria já ser assim. Depois, quando a realidade aparece, ele compara com seu modelo de certo, e a realidade parece errada. A realidade aos olhos do arrogante é um saldo sempre devedor.

Tudo é imperfeito, pois não é o que ele inventou, que seria o perfeito.

Todo ser humano é imperfeito porque não corresponde ao modelo de perfeição que você adotou.

Todos parecem que resolveram acreditar nisso.

Tudo
é perfeito
como é.

O seu modelo é que faz parecer que as coisas são erradas.

Na arrogância nós idealizamos como deveríamos já ser: mais calmos, mais virtuosos, mais ponderados, mais amorosos com o próximo, menos egoístas, mais ricos, mais honestos, mais sinceros, menos desafortunados, e assim por diante.

E como na realidade ele não é assim, ele conclui dramaticamente que ele é o oposto: ignorante, maldoso, culpável, pobre, defeituoso, desequilibrado, etc.

Toda vez que enxergamos deformidades estamos na arrogância.

Por isto todos sofremos de complexos de imperfeição, inferioridade, feiúra, inadequação, impotência, etc.

Qual é o seu **complexo?**

Ele é apenas o resultado de sua arrogância de achar que deveria ser modelar.

Mas isto faz muita confusão em sua vida.

Vendo-se como imperfeito, você não se aceita de verdade e não se estima de verdade, o que o leva a se desvalorizar constantemente.

Nós nos negamos, nos escondemos e nos agredimos, fazendo de nossas vidas um inferno.

Carentes de consideração positiva, nos sujeitamos à ditadura das expectativas dos outros para ganharmos um pouco de afeto.

Temos que nos abandonar abandonando nossas verdades para agradar aos outros ou não teremos o que queremos. Nos degradamos a meros reflexos dos outros caprichosos arrogantes.

Que coisa terrível é a arrogância!

Como somos apegados ao vício do idealismo e como sofremos por isto!

Permanecemos inábeis para lidar e modificar a realidade.

Tudo na verdade fica simples quando desprezamos a arrogância.

Somos o que somos.

Somos o somatório de todas as nossas conquistas até agora.

Somos adequados e humanos.

Somos confortavelmente diferentes.

Podemos nos admirar.

Podemos nos amar.

Estamos abertos para aprender e melhorar.

Podemos nos desenvolver em um clima de paz.

Porém o pior da arrogância é que queremos eliminar com a violência o que erradamente pensamos ser o mal.

Violência é a política de acabar com o mal fazendo o mal.

Assim é nossa sociedade, nosso código penal, que penaliza, pune para corrigir, culpa e castiga e perpetua a violência.

Todos os sistemas ideológicos que ignoram a realidade humana são perversos e mórbidos.

A perversão está na maneira de ver com arrogância o ato e nunca no próprio ato condenado.

Só sem os óculos da arrogância é que podemos ver o que há de verdadeiro e funcional na realidade.

Diminuir a violência é diminuir a arrogância humana. Quando entendermos isto, a sociedade será completamente diferente.

Mas enquanto a arrogância dominar estaremos nos distanciando de nossa verdade, e esta distância tem como resultado a solidão.

Solidão

é a

distância

a que

estamos

de nossa

própria

humanidade.

Modéstia é sua cura.

Modéstia não é diminuir-se, como pensa a maioria das pessoas. Isto é a falsa modéstia.

Modéstia é o ato de aceitar a realidade e suas condições sabendo que elas são as melhores possíveis até agora.

Modesto é o realista. Vai fundo na realidade, procura entendê-la e com isto consegue dominá-la.

O modesto em face de algo desagradável jamais se queixa, mas reivindica uma melhora. Reivindicar é trabalhar para o melhor. Ele procura entender cada situação estudando com inteligência as circunstâncias que a formaram e ao entender seu mecanismo se capacita a gerenciá-lo com eficiência.

A modéstia é a prática de domínio da realidade.

O que somos realmente?

O quanto somos?

Quais a razões que temos para ser como somos?

Perguntas que procuram a verdade com cautela nos mostram a realidade. Se estivermos dispostos a aceitá-la, então teremos

a

paz

e a

prosperidade.

Vaidade

Considerado o maior dos pecados pelos sábios, e é a pura verdade.

Vaidade é a ilusão de que podemos nos realizar com qualidades dos outros.

É a mais tola e absurda das ilusões e também a mais desastrosa.

Para nos realizarmos, necessitamos de nossas próprias qualidades. Só elas servem para nós.

Mas o vaidoso sem saber acredita que necessita das qualidades alheias para ser feliz.

Por isto está sempre procurando causar boa impressão aos outros para ganhar deles o que pensa necessitar.

Nesta ilusão dos outros, ele passa a dar mais importância à sua aparência.

Parecer ser é mais importante que ser de verdade.

Ele se especializa em fingir para obter crédito

dos outros.

Aparenta ser bonzinho para ser aceito.

Aparenta ser normal para ser respeitado.

Aparenta ser sincero para ser estimado.

Aparenta ser honesto para ser considerado.

Aparenta ter bons sentimentos para ser amado.

Ele se obriga a fazer as coisas e chama isto de dever para que os outros lhe gratifiquem.

Basta apenas ter a coragem de parar um pouquinho e se perguntar por que você se obriga a tantas coisas.

A resposta é sempre a mesma: eu me obrigo a..................... para que os outro me.......................

Tememos o oposto, como rejeição, o ridículo, o desprezo, a indiferença, a crítica, a má reputação, etc.

Somos dependentes do parecer dos outros. Escravos dos olhos e do julgamento dos outros. Queremos o aplauso e pagamos caro por isto.

Vivemos na insegurança de um dia não conseguirmos o que parece nos fazer creditados pelos outros.

E se à custa de muito sacrifício chegamos a conquistar o que queríamos, tememos perder aquilo que nunca nos satisfaz.

A cada dia aumenta mais a nossa dependência dos outros, viciando-nos na escravidão.

Para chegarmos a isto temos que sacrificar o que somos de verdade, nos recalcando, nos mutilando, nos rejeitando até nos destruirmos.

Se para agradar e ser aceitos é necessário nos mutilarmos, não hesitamos em fazê-lo.

Que preço pagamos por nossas ilusões vaidosas!

O único amor que o realiza é o seu.

O único apoio que nunca o abandona é o seu.

A única aceitação que pode lhe satisfazer é a sua.

A única consideração que pode respeitá-lo de verdade é a sua.

A única valorização realmente eficiente é a sua.

Mas a ilusão de que as qualidades dos outros servem para nos realizar faz com que vivamos a vida dos outros e para os outros, fazendo-nos perder nossas vidas.

A vaidade nos faz vulneráveis ao mundo. Podemos ganhar aplausos e viciamos neles, mas quem é aberto para os aplausos é aberto para as críticas, e aí a coisa piora muito. Com medo de sermos criticados e magoados nos fechamos ainda mais e nos tornamos solitários, incapazes de sermos íntimos e verdadeiros.

A solidão é a amiga dos tímidos.

Timidez é o mais alto grau de vaidade.

Mais uma vez a modéstia é tudo.

O modesto sabe que o que funciona são suas qualidades a serviço de suas necessidades, por isto é seguro, não teme os outros, se expõe sem dificuldades, é ousado e sempre conquista o

que quer. Jamais perde uma chance, vive à vontade, sempre relaxado o suficiente para curtir o prazer de tudo.

A infelicidade do vaidoso é cheia de frustração, depressão e resistências à prosperidade.

Para se fazer valer entre os outros, acredita em heroísmo e mérito nas dificuldades e na luta. Exibe-se com piedade e é submisso à chantagem dos chorões carentes. É sempre o pobrezinho que o mundo maltrata enquanto ele se esforça para ser o melhor que sua vaidade almeja.

A vaidade pode ser curada com a modéstia, é claro.

Começando por anular a ilusão de que as qualidades dos outros tais como amor, aprovação, reconhecimento, apoio, aceitação são as que lhe farão feliz.

Daí podemos nos concentrar nas nossas e nos tornarmos independentes.

Parece simples mas não é. É necessário tempo e dedicação para nos tirar dos vícios da vaidade.

O modesto não faz nada por obrigação e sim por vontade.

O modesto não pensa nos outros como referencial para seus atos mas sim no que sente ao fazer.

O modesto assume total responsabilidade por si.

O modesto não se aperta, não se constrange, não se envergonha, não se paralisa de medo.

Não se sentindo nunca ameaçado em relação ao que os outros podem fazer, nutre sempre a confiança de que, aconteça o que acontecer, ele dará um jeito, já que é pau para toda obra.

O vaidoso tudo teme em relação aos outros e se segura na vida segurando toda a sua vida. Vive se vendo ameaçado de desprestígio e fica estressado. O estresse é o resultado de longos períodos de tensão. O vaidoso vive tenso com os resultados de seu desempenho porque deles depende o que vai ou não vai ganhar dos outros.

Como o vaidoso é tolo e manipulável! Perigoso e confuso... Chega a ser quase insuportável. Até para ele mesmo.

Como é a sua **vaidade?**

Você vai precisar de uma dose considerável de modéstia para responder a esta pergunta. Mas antes de começar lembre-se de que a vaidade ou a arrogância pode querer lhe fazer sentir-se mal com isto. Recuse-se a sentir-se mal por chegar a perceber sua vaidade ou sua arrogância.

Tome tudo como se fosse uma fase em que você não tinha consciência clara das coisas.

Use
a sua
compaixão

Compaixão pode lhe ajudar a superar estes enganos.

Compaixão é a visão da realidade com vontade de compreender e usar a política da perseverança e do bem para superar pontos fracos.

Tudo

só pode

crescer

com

boa

vontade.

Espiritualidade **no** trabalho **é:**

Humanizar o seu ambiente de trabalho.

Trabalhar só com energias positivas.

Positivar-se é fluir na prosperidade.

Vencer dificuldades aprendendo que elas não existem e sim oportunidades.

Realizar-se profissionalmente é sentir-se como um canal do progresso coletivo.

Viver o potencial de doação e amor social que há em você.

Eu gostaria que **você** se lembrasse **que:**

Melhorar o mundo começa com melhorar você...

Espiritualidade significa conseguir atingir e agir no "espírito" de todas as coisas.

Religião nem sempre é espiritual.

Moral cristã nunca deu sucesso a ninguém. Ao contrário, empobrece.

Ela é o resultado de centenas de infiltrações estranhas que se perdem de sua nobre origem.

Fluir no Universo de todas as causas e de todas as forças básicas da natureza.

Trabalhar no essencial com profundidade e humanidade.

Vivemos e trabalhamos na conquista da verdadeira realização.

O sucesso é sempre interior, se ele é real e duradouro.

O mundo exterior é apenas e indispensavelmente o meio.

Progresso é o quanto através de nossas obras conseguimos subir a montanha de nossas próprias deficiências.

Prosperidade é fluir com a generosidade e a abundância das forças universais.

É hora de vencermos os preconceitos de que a espiritualidade não se enquadra com negócios ou vida empresarial.

É hora de realmente respondermos aos verdadeiros anseios humanos, pois os que se negam a evoluir não vão a lugar nenhum.

Na vida

só se pode
ir para a frente,
todo o resto
é apenas
questão de

caminho...

meditação da realidade

Quando você estiver sozinho experimente:

Observar

o que se passa

em sua mente.

Todos os pensamentos são só pensamentos, e eles não mandam em você.

Sinta

que você tem

o poder de decidir

o que pensar

e no que crer.

A cada pensamento, procure verificar se ele vem de experiências ou de ilusões.

Para tal, lembre-se:

não é
a cabeça
que julga
mas é
o corpo
que classifica.

Se a idéia produz uma sensação ruim, ela deve ser negativa, o que equivale a ser inadequada, sendo portanto uma ilusão.

Se a sensação é boa, é porque ela é adequada ao seu sistema, sendo portanto positiva e verdadeira.

O bem
é o que
é funcional
e o mal
é o que
impede
o bom
funcionamento
do seu
sistema.

Moral é o nome dado ao conjunto de seus valores.

Sua moral está cheia de falsos valores.

Mude sua moral renovando-a.

Troque

os valores

ideológicos

pelos

funcionais

e

comece

a

ser

feliz

já.

Sucessos de ZIBIA GASPARETTO

Crônicas e romances mediúnicos.
Mais de seis milhões de exemplares vendidos.
Há mais de dez anos Zibia Gasparetto vem se mantendo na lista dos mais vendidos, sendo reconhecida como uma das autoras nacionais que mais vende livros.

Crônicas: Silveira Sampaio

- PARE DE SOFRER
- O MUNDO EM QUE EU VIVO
- BATE-PAPO COM O ALÉM

Crônicas: Zibia Gasparetto

- CONVERSANDO CONTIGO!

Autores diversos

- PEDAÇOS DO COTIDIANO
- VOLTAS QUE A VIDA DÁ

Romances: Lucius

- O AMOR VENCEU
- O AMOR VENCEU *(em edição ilustrada)*
- O MORRO DAS ILUSÕES
- ENTRE O AMOR E A GUERRA
- O MATUTO
- O FIO DO DESTINO
- LAÇOS ETERNOS
- ESPINHOS DO TEMPO
- ESMERALDA
- QUANDO A VIDA ESCOLHE
- SOMOS TODOS INOCENTES
- PELAS PORTAS DO CORAÇÃO
- A VERDADE DE CADA UM
- SEM MEDO DE VIVER
- O ADVOGADO DE DEUS
- QUANDO CHEGA A HORA
- NINGUÉM É DE NINGUÉM
- QUANDO É PRECISO VOLTAR
- TUDO TEM SEU PREÇO
- TUDO VALEU A PENA
- UM AMOR DE VERDADE
- NADA É POR ACASO
- O AMANHÃ A DEUS PERTENCE

Sucessos de LUIZ ANTONIO GASPARETTO

Estes livros irão mudar sua vida!
Dentro de uma visão espiritualista moderna, estes livros irão ensiná-lo a produzir um padrão de vida superior ao que você tem, atraindo prosperidade, paz interior e aprendendo acima de tudo como é fácil ser feliz.

- ATITUDE
- FAÇA DAR CERTO
- PROSPERIDADE PROFISSIONAL
- CONSERTO PARA UMA ALMA SÓ *(poesias metafísicas)*
- PARA VIVER SEM SOFRER
- SE LIGUE EM VOCÊ *(adulto)*
- SE LIGUE EM VOCÊ - nº1 *(infantil)*
- SE LIGUE EM VOCÊ - nº 2 *(infantil)*
- SE LIGUE EM VOCÊ - nº 3 *(infantil)*
- A VAIDADE DA LOLITA *(infantil)*
- ESSENCIAL *(livro de bolso com frases para auto-ajuda)*
- GASPARETTO *(biografia mediúnica)*

- CALUNGA - "Um dedinho de prosa"
- CALUNGA - Tudo pelo melhor
- CALUNGA - Fique com a luz...

- série AMPLITUDE:

1- Você está onde se põe
2- Você é seu carro
3- A vida lhe trata como você se trata
4- A coragem de se ver

OUTROS AUTORES

Conheça nossos lançamentos que oferecem a você as chaves para abrir as portas do sucesso, em todas as fases de sua vida.

LOUSANNE DE LUCCA:

- ALFABETIZAÇÃO AFETIVA

MARIA APARECIDA MARTINS:

- PRIMEIRA LIÇÃO - "Uma cartilha metafísica"
- CONEXÃO - "Uma nova visão da mediunidade"
- MEDIUNIDADE e AUTO-ESTIMA

VALCAPELLI:

- AMOR SEM CRISE

VALCAPELLI e GASPARETTO:

- METAFÍSICA DA SAÚDE:

vol.1: sistemas respiratório e digestivo
vol.2: sistemas circulatório, urinário e reprodutor
vol.3: sistemas endócrino *(incluindo obesidade)* e muscular

MECO SIMÕES G. FILHO:

- EURICO um urso de sorte (infantil)
- A AVENTURA MALUCA DO PAPAI NOEL

E DO COELHO DA PÁSCOA (infantil)

MAURÍCIO DE CASTRO (pelo espírito Hermes):

- O AMOR NÃO PODE ESPERAR

RICKY MEDEIROS:

- A PASSAGEM
- QUANDO ELE VOLTAR
- PELO AMOR OU PELA DOR...
- VAI AMANHECER OUTRA VEZ
- DIANTE DO ESPELHO

MARCELO CEZAR (ditado por Marco Aurélio):

- A VIDA SEMPRE VENCE
- SÓ DEUS SABE
- NADA É COMO PARECE
- NUNCA ESTAMOS SÓS
- MEDO DE AMAR
- VOCÊ FAZ O AMANHÃ
- O PREÇO DA PAZ

MÔNICA DE CASTRO (ditado por Leonel):

- UMA HISTÓRIA DE ONTEM
- SENTINDO NA PRÓPRIA PELE
- COM O AMOR NÃO SE BRINCA
- ATÉ QUE A VIDA OS SEPARE
- O PREÇO DE SER DIFERENTE
- GRETA
- SEGREDOS DA ALMA
- GISELLE - A amante do inquisidor

LEONARDO RÁSICA:

- FANTASMAS DO TEMPO - Eles voltaram para contar
- LUZES DO PASSADO

MÁRCIO FIORILLO (ditado por Madalena):

- EM NOME DA LEI

LUIZ ANTONIO GASPARETTO EM CD:

Aprenda a lidar melhor com as suas emoções, para conquistar um maior domínio interior.

- Prosperidade
- Confrontando a desilusão
- Confrontando a solidão
- Confrontando as críticas
- Confrontando a depressão
- Prece da Solução *(pelo espírito Calunga)*

• série VIAGEM INTERIOR *(n° 1, n° 2 e n° 3)*:

Através de exercícios de meditação mergulhe dentro de você e descubra a força da sua essência espiritual e da sabedoria. Experimente e verá como você pode desfrutar de saúde, paz e felicidade desde já.

• série REALIZAÇÃO:

Com uma abordagem voltada aos espiritualistas independentes, eis aqui um projeto de *16 cds* para você melhorar.

Encontros com o Poder Espiritual para práticas espirituais da prosperidade.

Nesta coleção você aprenderá práticas de consagração, dedicação, técnicas de orações científicas, conceitos novos de força espiritual, conhecimento das leis do destino, práticas de ativar o poder pessoal e práticas de otimização mental.

• série VIDA AFETIVA:

1- Sexo e espiritualidade
2- Jogos neuróticos a dois
3- O que falta pra dar certo
4- Paz a dois

• série LUZES:
Coletânea de 8 cds, nos volumes 1 e 2.

Através de curso ministrado no Espaço Vida e Consciência, pela mediunidade de Gasparetto, os espíritos desencarnados que formam no mundo astral o grupo dos Mensageiros da Luz, nos revelaram os poderes e mistérios da Luz Astral, propondo exercícios para todos aqueles que querem trabalhar pela própria evolução e a melhoria do planeta.

Nesta coletânea trazemos aulas captadas ao vivo, para que você também possa juntar-se às fileiras dos que sabem que o mundo precisa de mais luz.

• série ESPÍRITO *(composto de 12 cds)*:

1- espírito do trabalho
2- espírito do dinheiro
3- espírito do amor
4- espírito da arte
5- espírito da vida
6- espírito da paz
7- espírito da natureza
8- espírito da juventude
9- espírito da família
10- espírito do sexo
11- espírito da saúde
12- espírito da beleza

A realidade tem muitas camadas, porém mais profunda é aquela que gera a existência das outras. Nós a chamamos de **Espírito**. Sendo o centro de cada um de nós, é pois o guia de nossos destinos rumo à realização.

Eleve-se, aprofunde-se e acorde para o seu espírito

• série PALESTRA

1- Meu amigo, o dinheiro
2- Seja sempre o vencedor
3- Abrindo caminhos
4- Força espiritual

ESPAÇO VIDA & CONSCIÊNCIA

É um centro de cultura e desenvolvimento da espiritualidade independente.

Acreditamos que temos muito a estudar para compreender de forma mais clara os mistérios da eternidade.

A Vida parece infinitamente sábia em nos dotar de inteligência para sobreviver com felicidade, e me parece a única saída para o sofrimento humano.

Nosso espaço se dedica inteiramente ao conhecimento filosófico e experimental das Leis da Vida, principalmente aquelas que conduzem os nossos destinos.

Acreditamos que somos realmente esta imensa força vital e eterna que anima a tudo, e não queremos ficar parados nos velhos padrões religiosos que pouco ou nada acrescentaram ao progresso da humanidade.

Assim mudamos nossa atitude para uma posição mais cientificamente metodológica e resolvemos reinvestigar os velhos temas com uma nova cabeça.

O resultado é de fato surpreendente, ousado, instigador e prático.

É necessário querer estar à frente do seu tempo para possuí-lo.

Maiores informações:

Rua Salvador Simões, 444 • Ipiranga • São Paulo • SP

CEP 04276-000 • Fone Fax: (11) 5063-2150

E-mail: espaco@vidaeconsciencia.com.br

Site: www.vidaeconsciencia.com.br

Luiz Antonio Gasparetto

te livro foi impresso em offset 90 g/m^2 pela Gráfica Vida & Consciência.
São Paulo, Brasil, 2011.

Rua Agostinho Gomes, 2.312 – SP
55 11 3577-3200

grafica@vidaeconsciencia.com.br
www.vidaeconsciencia.com.br